그대
꽃처럼 내게
피어났으니

그대
꽃처럼 내게
피어났으니

너는 나의 봄꽃
너는 나의 설렘이다

순간의 스침에
이토록 오래 생각한다
한동안 오래 어여쁘다

0장. 피고 지는 마음

1장. 그대가 피었다

2장. 그대가 저문다

가끔 숨이 턱 막힐 때가 있습니다.

탁탁, 두드려 봐도
연심戀心
가시지 않던 밤이 많습니다.

2021년 8월
이경선

0장

피고 지는 마음

사랑할 수밖에 없다는 건

단 하나 사랑할 수밖에 없다
온 세상 들춰진 바닥과 무너진 거리
어디를 가보아도
당신은 없으니

다만 오직 하나 나의 곁
작은 숨 품어낸 당신이 있으니
사랑이란 나는 당신일 수밖에 없다

사랑을 알았다
하나뿐인 사람이라
어찌할 바 없이 사랑해낼 수밖에 없다는 걸
두 손 저려올 만큼 한껏 잡아내야 한다는 걸
알았다

숱한 시간과 공간을 지나
쏟아지고 흩뿌렸을 몇몇의 마음을 건너
당신에게 왔다

당신이 머물다간 어느 밤으로부터
당신이 온다는 밤하늘 어디쯤으로 시선을 모아두었다

달빛이 부서진다는 말

달빛이 부서진다는 말이 있습니다
아름다워 내심 품어온 말입니다

동그란 달빛 작은 파편 되어
하얀 눈꽃으로 피어나는 일입니다

흐드러진 눈꽃 밤 자락 걸치우고
언젠가는 내게도 한 줌 건네줄 것만 같습니다

눈꽃 하나 결 따라 고이 접어
오늘은 수줍게도 당신에게 쥐여 주고만 싶습니다

그 안에는 몽글거리는 설렘이
차마 내비치지 못해 올망졸망 자리할 것입니다

밤하늘 수놓은 백화(白花)와 함께
거기, 당신 계신 곳으로 가렵니다

달빛이 부서진다는 말이 있습니다
아름다운 당신에게 내심 전하고픈 말입니다

별이 되고 싶다

별은 왜 빛나느냐고 물었다

당신의 물음보다도
당신의 동그라진 두 눈이
더 신경 쓰였다

옅은 기억으로부터
항성과 행성, 광도와 같은 것들을
꺼내어 볼 무렵

별이 되고 싶다, 생각했다

입을 다물곤
다만 당신이 바라는

그 별이 되고 싶어졌다

사랑스런 것이어서
동그란 당신의 눈망울과
모아낸 당신의 입술이

사랑스러워서

별이 되어야겠다
당신의 궁금증 자아낼
당신의 어여쁨 피워낼

별이 되어야겠다

별은 어쩌면 영구하고
나와 당신도 그러하길 바라면서

잠잠히, 당신에게 말했다

당신의 여린 웃음이 피어나던 날

당신의 여린 웃음이 피어나던 날이었다

당신의 웃음은 여름날의 무엇보다
아름다워
집으로 오는 길엔
당신의 웃음만이 거리에 남았디

여름의 햇살 머금어
발그레 피어난 꽃무리도
당신에 가리어
멀리 노을 너머 잠기었다

진홍빛 노을
산등선 물들이고
굽이진 자태는 다만
당신만 못하다 생각하였다

당신의 여린 웃음이 피어나던 날이었다

당신의 웃음은
여름날의 수국이라 만개했고
웃음 사이 흐르던 향기는
그해 여름을 온통 물들였다

백매(白梅)

지난 사월의 하루 백매 거리를 걸었습니다

오는 사월엔 당신과 함께 걷고 싶습니다

함께라는 단어가 좋습니다
당신이 여기 있어 곁을 내어줄 것만 같습니다

오는 사월엔 어김없이 백매가 무성할 것입니다
작은 바람도 불어오겠지요

너울진 백매와 선선한 바람
노니는 걸음에
마음 한 결 실려보곤 싶습니다

결 따라 그리도 너울지다
당신에게 닿고만 싶습니다

그래요,
오는 사월엔 당신과 함께이고 싶습니다

지난 사월의 백매는 못내 낯설기도 하였습니다

오는 사월의 백매는 함께 반가울 것만 같습니다

구름이 그린 그림

구름이 그림을 그린다
당신도 거기에 있다

파랑과 하양 두 가지 색상의
사랑과 연정 두 점이 점철된
그림
하늘에 무수히 뜬 이름들보다도 아름답다 했다

하나의 선으로 그린 그림
우아한 곡선은 산등선 너머
한강 언저리까지 닿아내었을까

물결 위 고운 빗금 하나 새겨놓았을까 하고
결의 마디 어디쯤 가녀린 손가락이 울리는 듯도 했다

공중의 구름은 나 몰래 마음 한술 떠갔던지
그린 그림이 퍽 닮아있다

구름의 그림이 당신인 양 안겨볼까 했다
그림의 얼굴이 당신인 양 불러볼까 했다
퍽 포근하고 어여쁜 것이었다

구름이 그린 그림
당신이 여기에 있다

백합과 능소화의 이야기

입하가 지난 오월의 어느 날
백합이 일었습니다

하얀 얼굴 가녀린 꽃잎
향기 그득 머금은 모양입니다

가끔은 당신을 닮았다며 생각도 하곤 했습니다

당신이란 이름이 곁을 서성이던 오월엔
누군가의 이름을 부르는 일이 사뭇 어려워졌습니다

당신의 이름을 부르는 일만이 내게 남아있었습니다

하얀 잎새 하나 당신 어깨에 내리던
늦은 오월
우린 서로의 이름을 마음자리 품어내었습니다

한차례의 장마가 지나갑니다
무성한 백합의 날들이 앞서가고
소서 날 담벼락엔 능소화가 가득 피었습니다

수줍은 얼굴엔 다홍빛이 어렸고
곱게 핀 능소화에 당신은 환히 웃어 보였습니다

무더운 날들이 오가는 칠월의 저녁
한편에는 선풍기 하나 탈탈 소리를 내며 돌아가고
창가엔 어슬녘의 노을이 내리고 있습니다

당신은 내 무릎에 기댄 채 저녁을 더듬어 가고
나는 당신이란 여름을 보내는 중입니다

당신을 사랑하게 되어버린 것 같습니다

당신을 사랑하게 되어버린 것 같습니다

당신으로부터 여러 날의 밤이 지나갑니다
어리로운 당신의 모양은 더욱 선명합니다

당신의 웃음 빈달을 닮아 밤하늘 차오르고
입술의 춤새는 별빛 되어 밤하늘 일렁이니
당신과의 밤은 온통 조심스러웠습니다

혹여 당신에게 들킬까
몰래 마음 졸였습니다

당신이 수놓아진 밤
공전하던 말들 사이 바라보던 나를
혹여 눈치 채었을까
도드라진 마음 숨기지 못하는 나를 탓했습니다

밤이 늦었습니다
어슬녘부터 당신을 생각했습니다
마음 하나 기우면 당신 자리 닿을까
내심 기대도 해보았습니다

노을에 떠오른 당신
한참을 가시지 않으니
여지없이
당신을 사랑하게 되어버린 것 같습니다

우리의 여름

당신은 여름이 온다 말했고
난 당신이 온 것이라 말했다

한 계절을 함께 보내는 일은
가히 축복된 것이라 말했고

같은 계절을 다시 맞는 일은
곧 뭉클할 행복이라 말했다

우리의 여름이 여러 해 되길 바랐다

꽃망울

당신의 입가엔 꽃이 피려나 봅니다

봉긋 올라간 입꼬리가 이토록 어여쁠까
나지막이 입 맞추고파 한참을 서성입니다

꽃망울 하나 곧 터질 것만 같아
부산한 입 모아 바라봅니다

형언할 수 없는 것이라
공중의 말은 잠시 접어두었습니다

당신의 입가 꽃피울 언젠가는

하얀 나비 사뿐사뿐
올라앉을 것만 같습니다

이 꽃 저 꽃 넘노닐다 슬쩍
제 품 내어줄 것만 같습니다

그런 날엔 저 나비 따라
흐드러진 꽃내음 함빡 취해보곤 싶습니다

햇살아 바람아 아이야

햇살아 바람아 아이야
어우러 노니는 모습 참으로 어리롭다
그래 그렇게만
그리 사랑스레
내게 머물러주렴

햇살아 바람아
결 사이 오가는 자태 눈부시다
결 따라 흔들리며 춤을 추니
모양새 마치 나비 무리인 양
향기롭다

아이야
웃는 얼굴이 완연한 가을을 닮았구나
하얀 빛에 붉은 태가 참 곱구나
겨울 지나 봄이 오는 날에도
고이 간직해 주렴

햇살아 바람아 아이야
나의 사랑하는 이야
한동안 오래
어여뻐라

당신이란 봄

하얀 얼굴에 피어난 미소를 본다 작은 벌이 되어 날아 당신의 연지색 입술에 닿고만 싶다 살포시 앉아 향긋한 꽃봉오리에 입 맞추고 싶다

두 볼에 핀 모양은 마치 갓 틔운 꽃잎의 곡선을 닮아 첫 맞춤의 설렘 기억하게 한다 선의 모양 넋 놓아 보고 있노라면 마음자리 한 줄기 사랑이 뿌리를 내린다

당신의 미소를 마주하며 당신의 입가에 머무는 것만으로도 마음은 한참을 흐드러졌다 깊어지는 봄 피우는 꽃무리처럼 마음이 자랐다 당신이 심은 사랑은 사월의 벚나무가 되었고 사월이 끝날 무렵 벚꽃을 한껏 흩뿌렸다

오월, 푸른 당신은 여전히 아름답다

바람 부는 날

시월과 십일월의 무렵
바람결 부쩍 쌀쌀해진 날

저편 불어오는 바람에
넘어지는 것들이 많고

바람 따라 흩날리는 모양에
당신을 생각하는 날들이 잦다

서리 내리고 당신을 기억하였으니
봄바람 부는 날 당신을 잊을 리 없다

봄밤,
당신을 바라보던 날들이 있다

여린 당신의 입새와
당신의 자태, 분분하던 날들이다

옷깃 한 자락 바람에
흩날리던 밤이었다

부재를 부정할 일이다

눈에 보이지 않는다 하여
존재를 부정할 수 없는 일이다

밤하늘 어딘가 흐르고 있을
초롱한 별들의 무리와

수평선 지나 홀로 떠 있을
자그마한 섬 하나와

도시 너머 노니고 있을
재잘재잘 새들의 이야기

보이지 않지만 분명히도
살아 숨 쉬는 것들이다

당신도 내게 그러하다

두 눈에 담지 못하여도
존재는 숨처럼 분명하니

부재를 부정할 일이다

봄비

봄비가 한창이다

처마 끝 망울진 말들은 하나둘 낙화하고
무렵의 빗소리는 적막하다

연음(延音) 한 가닥 흘러오길 바랐다
수면(水面) 한 자리 읊어지길 바랐다

빗줄기에 애화(哀話) 한 줄 삼켜내다
당신을 그렸다

걸터앉은 창턱이 마냥 높고
바짓단 아래 늘어진 빗방울은
툭툭 떨어지고

갓 피운 봄날의 꽃잎도 거리 어디쯤으로
툭툭
흩날리다, 떨어지고

봄비와 당신을 그려보다
눈을 감았다

아름답고 애처로운 것이
퍽 닮았다

적막한 빗소리 잦아들고
낙화는 저만치 멀어져 갔다

당신은 애써 잠잠하다

비 오는 밤, 당신의 미를 생각했다

비가 한참을 내리던 날, 빗소리와 함께 찾아온 당신을 반기우려 집을 나섰다. 당신이 좋아하던 순댓국집에 들렀다. 오랜만의 방문에 아주머니는 정겨운 미소를 지어 보이셨다.

당신은 늘 습관처럼 맛을 더하곤 했다. 당신만의 미(味)가 있었고 언젠가는 나도 당신의 그것을 좋아하게 되었다.

오늘도 어김없이 당신의 미(味)를 찾았다. 그와 함께 소주도 한 병 두었다. 당신은 나의 주습(酒習)을 좋아하지 않았지만, 당신의 부재를 대신할 것은 이뿐이었다. 당신이란 여정 속 한 잔의 위로라 하였다.

"그분은 같이 안 왔어요?"
"아, 아니요"
"참, 고왔는데"

아주머니의 인사말이었다. 작은 대화 하나에 한참이나 마음이 휘청였다. 비가 내려서일까 소주는 꽤나 달았고 마음은 그렇지 못했다.

술잔을 비워내고 이어지는 망상 속에 당신이 있었다.
나는 장난기 어린 웃음으로 당신에게 말했다.

"아주머니가 글쎄, 당신 정말 고왔다고 하시더라"

당신의 역사

당신과의 순간은
내 생의 역사로 남아

이 생이 멸망하기까지
기록되어 갈 것이라고

세월 지나
몇 번의 종말이 반복되더라도
하나의 활자 되어 남을 것이라고

오랜 나의 생에, 당신의 역사
점차 옅어진대도
다만 존재할 것이라고

오늘도 나는
당신의 역사를 기록할 테니

당신은 무수한 획(劃) 되어
거기 있어주면 좋겠노라고

여름이라 하여 당신이 저무는 일 없었다

어느 여름보다도 무더운 날들이 이어지고 있었다 당신은 곧잘 나의 무릎에 누인 채 여름날의 바람을 맞곤 했다 한낮의 열기가 식어져 가는 어슬녘이면 낮의 잔향 어린 바람이 불었고 당신은 환히 웃어 보였다

유월의 스물한 번째 날, 올해도 어김없이 하지가 왔다 한해 중 가장 낮이 긴 날이라 했다 그날엔 태양이 온종일 하늘에 떠있다 말했고 태양이 머무는 시간만큼이나 무더운 날이라고도 했다

하짓날 누군가의 이야기처럼 태양은 종일 머리 위 서성였고 날은 무더웠다 해가 서쪽으로 기울 무렵, 동쪽 어귀 선선한 바람이 불어오기도 했다

한낮의 열기와 어슬녘의 바람은 그해 여름을 닮아있었다 지난날의 당신을 기억했다 고이 누인 당신의 모양이 오래 머물렀다

여름이라 단야(短夜)의 계절이라 그리움 반짝 저물까 하여 이를 반기었으나, 돌아보니 여름이란 계절 길고 긴 낮보다도 당신과의 옛 대화는 더욱 길고도 선명하니 여름이라 하여 당신이 저무는 일 없었다

그해 여름으로부터

여름이 저물기 전 당신에게 말해주고 싶었다
그해 여름으로부터

나의 계절은 늘 당신이었다고
따가운 햇살과 무거운 숨 모두
당신이기에 반겨 맞을 수 있있다고

사실 나는
여름이 좋았던 게 아니라
여름을 좋아하던 당신을
좋아한 것이라고

그해 여름

오가던 웃음과 걸음들 사이
농익었다 여긴 우리의 말들과
차마 설익었던 우리의 마음이
녹음처럼 거리에 무성하던 계절

그날의 잔향을 기억하며
올해의 여름은 부디 더디 저물기를 바라며
낙조가 내리기 전 당신에게 말하고 싶었다

그해 여름으로부터
나의 여름은 온통 당신이었다고

나의 겨울은 가끔 당신이었습니다

그해 겨울을 기억합니다
그해 겨울이 좋았습니다

이유가 무어라 물으신다면
이따금 당신이었다 하겠습니다

그해 겨울 나는 좋았습니다
꽁꽁 싸맨 당신의 옷가지와
옷가지 사이 빼곡 내민 당신의 수수함이 좋았습니다

그해 겨울 나는 따스했습니다
당신을 바라보고 사랑하는 일이
밤사이 온기로 자라나 곁을 덮어주었습니다

모닥불 일렁이던 밤이 있습니다
우리는 나란히 앉아 불빛을 바라보곤 했습니다
때로는 나란히 누어 별자리를 세기도 했습니다

그해 겨울
우리는 서로의 안녕이자 슬픔이고만 싶었습니다
무렵
당신의 온기는 밤하늘 뭉근히 타오르고 있었습니다

그해 겨울을 기억합니다
그해 겨울이 좋았습니다

당신을 기억하는 중입니다
이따금 당신이 떠오릅니다

빛 방울

윤슬 위
시선은 걸음을 한발 내딛곤 찰랑이다,
서글픈 인사를 눈가에 피워내었다

밤 자락 아래
별빛 따라 기울인 시선이 있고
어느 밤엔가 별빛 위를 걸어보기도 했다

빛나는 무언가는
언제나 아름다울 따름이고

나는 스며드는 것이고 싶었다

빛 방울이 떨어질 것만 같다
눈시울 한 자리 고일 것만 같아
고갤 들었다

당신을 바라보는 일과 같았다
빛나고 아름다운 것은 당신과 같아서

걸음에서
당신을 찾는 일이라

오래 서성이곤 했다

당신은 나의 빛이요,
하루의 걸음이었으며
한낮의 항성이었던 고로

당신만을 나는 공전할 것이었다

자라는 마음

봄장마에 사흘 비가 오고
나흘은 바람이 불었다

투둑투둑 비 내리는 날에는
꽃모가지 떨어질까
걱정하였고

거센 바람 불어오는 날에는
피워낸 생기 사그라질까
걱정하였다

철따라 자라는 마음이 있다

휘영청 달 밝은 날에는
먼 당신 제 길 찾아오실까

혹 길 잃으실까
염려하였고

소복이 눈 쌓인 날에는
오실 당신 발자국 보일까

목 내밀어
밤중을 살피곤 하였다

단야(短夜)의 옛말들

여름이면 곧잘 밤의 길녘을 걸어내곤 했다 여름밤 울리는 소리 너머로는 이따금 옛말들이 건너왔다 오래이지만 오래고 멀어지지 않는 것들이다 몇 마디 새겨진 그것은 줄곧 그해의 계절에 머물렀다 계절의 모양처럼 거리의 숨들처럼 자연했다 연유라 알지 못하였으나 언젠가는 일 깃도 같았다 말을 건네진 아니했다

옛말들은 모두 조금치 기울어져있었다 지난 계절의 바람에 날리우지도 빗물에 쓸려가지도 않은 채 다만 기울인 모양은 가끔 어디론가 시선을 두는 것만 같았다 그것의 기울기라 차마 밀어내지 못하니 여전히 그만한 각도로 서있을 뿐으로 간혹 어깨를 내어주기도 했다 기울인 시선에 신경이 쓰이곤 했다 문득 무어라 말을 건네 볼까 싶다가도 이내 입술을 모았다 언젠가는 옛 계절이 남긴 낙조의 잔상이라며 무딘 척 툭툭 털어내 보기도 하고 가슴을 탁탁 두드려보기도 했다

여름밤은 못내 길어서 고로 생각이 흐르는 거리도 멀다 옛말들은 떠날 생각이 없어 고개 기울인 채 발끝을 서성인다 이따금 눈이 마주치는 것도 같다 하나를 주워 입술에 닿아 본다 또 하나를 주워 입가에 담아도 본다 못내 길어 서글픈 단야엔 이내 새벽이 왔다

그해 여름

마음이 소란했던 날들이 있다

한 계절 내내 쏟아내던 비처럼

마음도 때로 한참을 울어대었다

마음결 어디쯤 당신이 어려 있었으니

당신의 이름과 눈매와 목소리 같은 것들

온통 소란으로 휘덮이곤 했으니

소란이 끝날 때쯤이면

남겨진 자욱이라 몇 번이고 접어내야만 했다

당신이 내게 한참을 소란했던 시절

그해 여름의 이야기이다

1장

그대가 피었다

나의 시

나의 시는 그대이다
나의 시, 그대가 가득한 까닭은
나의 세상, 온통 그대이기 때문이다

오후의 햇살도
저녁의 노을노
밤하늘 달빛도

모두 그대이다
모든 아름다움, 그대로 담았다
모든 시간에 그대가 있었다

나의 시는 그대이다

나의 오늘, 그대

어둠이 짙다
달이 사라진 밤처럼

숨이 시리다
차가운 겨울밤처럼

온 하루 밤으로 가득했다
그런 오늘의 반복이었다

그런 오늘의 언젠가
그대가 왔다

봄날의 따스함을 담았다

그대의 미소 꽃피었다
봄날처럼

나의 오늘은 그대가 되었다

나의 하루

오늘, 하루 종일 웃음꽃이 피었습니다
누군가 물었습니다
무슨 좋은 일이 있느냐고
나는 대답하지 못했습니다

그대에게만 선하고 싶은, 니의 대답은

하루의 순간마다 그대가 떠올라
나 참 바보 같아지기 때문입니다
그대 몰래, 나도 몰래 웃음 지었습니다
그래요 그대, 나의 하루가 되었습니다

마음

가장 진실된 것으로
가장 당신을 위한 생각으로
나의 마음을 가득 채워가고 싶다

참 작은 마음이지만
당신을 위한 것 중 가장 작은 것일지라도

당신이 허락해 준다면
나 내 온 마음 그것이라 하겠다

마음이란

마음이란 그런가 봐요
그대의 빈자리 공허함에
숨이 차올랐어요
저 바다의 심연, 그 어둠처럼
온통 고독이었어요

마음이란 그런가 봐요
그대 미소 한 줌에, 나 마치
다른 사람처럼, 다른 마음처럼
행복으로 차올랐어요
온통 맑음이었어요

웃음

너의 웃는 모습이 좋아
너를 웃게 해줄 것들을 찾아다녔다

너의 웃음을 보고 싶었다
세상 가장 맑고도 아름다운
미소를 짓게 해주고 싶었다

어떤 순간이라도 어떤 일을 해서라도
너를 위해

그대가 웃었다

그대를 보았다
그대가 웃었다

아름다운 그대 두 눈에 내가 담겼다

그 모습이 좋아
그렇게 한참을 가만히 앉아
그대를 담았다

사랑스런 눈빛
앙증맞은 입술
그대라는 사람

그대를 보았다
그대가 웃었다

미소

봄날의 따스함을 닮았다
겨울의 눈송이를 닮았다
오늘의 밤, 달빛을 닮았다

그대의 미소는 그렇다
아름답다 할 모든 것이 담겼다
어느새 나, 그대 미소를 담았다

그녀가 물었다

그녀가 물었다
"좋은 일 있어요?"
"아니, 그냥" 미소로 답했다

그녀를 보았다
해맑은 미소 가득히 나를 담았디
그 모습이 좋아, 한참을 '헤헤' 걸었다

거울

너를 기다리는 시간
너란 마음이 더욱 커져가는 시간

거울을 보았어
내 모습 환히 웃고 있더라고

이런 웃음이 언제였는지
기억조차 나지 않는데

그저 지금 이렇듯 미소 지음에
행복하고자 해

거울을 보았어
너가 내게 오고 있었어

너만의 걸음걸이
너만의 어여쁨으로

날 반기는 너의 그 환한 미소와 함께

너와, 지금

행복해
이 순간만큼은
이 세상 가장 행복한 사람은
나일 거라 생각했어

내 앞의 네가 이렇듯 환히 웃어주는 지금
너의 어여쁜 두 눈에 내가 담겨있는 지금

걸음

걸음걸음 순간마다
그대를 담아봅니다

빛나는 햇살 한 조각에
포근한 공기 한 줌에
그대 이름을 불러봅니다

나의 걸음, 그대에게 다가갑니다

저만치의 그대 가까워질 때면
나의 맘 설렘으로 차오릅니다
두근두근, 몽글몽글

고마워요 그대
내 곁에 와주어서

사랑해요 그대
내 마음 전부로서

너와 걸을 때면

너의 손을 좋아했다
작고도 어여쁜 그 손을 사랑했다

너와 걸을 때면 난
너의 그 자그마한 손을 꽈악 감싸곤
너의 온기를 느꼈다

난 그렇게 너에게
사랑을 말했다

그대에게 가는 길

그댈 만나러 가는 길
나의 맘은 이리도 가볍다
저 하늘의 구름처럼
실려 온 꽃향기처럼

그댈 만나기만 고대한다
마음 가득 설렘이라 한다
나 그댈 품은 채로 봄처럼
곧 너에게 가겠다

손수건

먹는 모습도 어여쁜 너를 보며
너 몰래 생각했다

자그마한 너의 입술을 위한
작은 손수건 하나 챙겨야겠다
네가 좋아하는
아이스크림, 딸기 케익
마음껏 맛볼 수 있도록

난 너의 뒤에서, 너 몰래
너가 좋아하는 것을 위해
준비해야겠다

너란 하루

너는 내게
오후의 따스한 햇볕처럼
밤하늘 비추인 달빛처럼
하루의 순간에 가득하다

엄마 품에 안긴 아가의 마음처럼
온 하루, 나의 마음은 너에게 머문다

그대란 환희

그댄 내게 환한 미소 건네주어
난 온종일 그 어여쁨에 갇혀
감출 수 없는 행복감 드리운 채
하루를 보냈다

내게 이런 하루가 있었넌시
언제쯤이었는지 기억조차 나지 않는 밤
그댈 품은 채 난 찬란한 환희로
이 밤을 보낸다

그리워요

그대를 그리워요
이 밤 그대가 그리워요
오늘의 낮 따스한 볕이 비추던 날
그대를 담았던 나의 마음이
지금 내 곁에 그대가 없음을 알아요
내일 나의 마음 다시 와줄 그대이지만
마음이란 아이 그새를 못 참아요
그대가 보고 싶다, 투정이에요
그대여 어서 와주세요
그대가 없는 이 밤을
가져가 주세요

밤 인사

"잘래요, 잘 자"

늦은 밤 잠들기 전 건넨
인사말들이 사랑스러웠다

자그마한 니의 입술에서 나올
귀여운 목소리와 어여쁜 말투가 생생했다

너의 짧은 문자에 난 그 밤 가득 설렜고
잠들 때까지 널 생각했다

그 밤 너는

그 밤 너는 알고 있었을까?

하얀 달이 드리웠던 가을밤
너의 손을 처음 잡아주던 그 밤

나의 가슴이 그토록 뛰고 있었단 걸
나의 마음이 한참 떨렸다는 걸

새벽 설렘

새벽녘 설렘에
나의 맘은 몽글몽글
작은 눈은 말똥말똥

그대 들어찬 밤하늘 잠 못 이루고
그대 몰래 담아본 그대라는 이름이
어느새 방안 가득, 마음 가득, 온통

봄밤

이토록 아름다운 날에
이토록 어여쁜 너가 있으니
이토록 난 행복할 수밖에

봄비

봄비가 내린다
봄밤의 빗소리는
봄날의 정취 머금어
봄꽃처럼이나 아름답다

봄비와 함께
한층 짙어진 봄의 향기와
성큼 깊어진 나의 마음이
너에게로 간다

그리 아름다운지

그대 어찌 그리 아름다운지
봄날 꽃잎의 인사말같이
봄날 나비의 날갯짓같이
내게 봄처럼 아름다운 이
언제나 나의 봄이 되어준 그댄
어인 일로 이토록 어여쁜지

봄꽃

꽃이 핀다
내 마음엔 너가 핀다
자그마한 꽃망울, 어여쁘다

봄날, 넌 나의 꽃이 되었다

너는 나의 봄꽃
너는 나의 설렘이다

순간의 스침에
이토록 오래 생각한다
한동안 오래 어여쁘다

벚꽃 잎

봄의 오후 흩날리는 벚꽃 잎
어떤 마음이기에 이리도 어여쁜가

누군가 품은 사랑의 떨림처럼
내 마음 드리운 그대란 설렘처럼

꽃구름, 너란 꽃

꽃구름
분홍빛 꽃잎 뭉게뭉게
구름 되어 피었다

너란 꽃
나의 세상 가득
향기 되어 물들었다

꽃구름, 너란 꽃
내 마음에 어여쁘다

꽃무리

집으로 가던 길 문득
너 생각에
작은 꽃 하나 사왔다

나의 작은 마음 담아
네게 건넬
어여쁜 꽃무리

그래, 어여쁨이었다
꽃은 너의 어여쁨을 닮았다
그래서였다
꽃을 보며 너를 떠올린 건

나의 꽃

꽃이 좋아
오늘 나의 곁, 꽃 한 송이 두었다

내 방 창가 봄을 담은 라일락을
내 맘 한편 사랑스런 너란 꽃을

너란 꽃

너는 꽃이라 한다
한동안 오래 어여쁠
한동안 오래 향기로울
한동안 오래 사랑받을

나의 꽃, 너란 꽃

그대란 꽃말

그대는 꽃 같아
한 송이 꽃처럼, 그대
향기롭다

봄날의 라일락
여름의 라벤더
가을의 코스모스
그대를 부르는 꽃말

흐르는 꽃향기
한껏 머금은 나비처럼
나 그대 향기에 물든다

꽃처럼

꽃을 보았다
너를 그렸다

꽃잎 하나 너란 아이의 웃음이
꽃잎 하나 너란 아이의 행복이
되어주길 바랐다

오늘 밤 곤히 잠든 너의 곁
살며시 놓은 작은 꽃 하나

어여쁜 꽃내음
너의 사랑이 되어주길
이 밤 고요히 바랐다

비 오는 여름날

비 오는 여름날이 좋다
여름날 내리는 빗소리
그날의 정취가 좋다

그런 날이면 사랑스런 너를 만나
그저 가만히 누워
내리는 빗소리에 잠겨 시간을 보내고 싶다

아주 오래 너의 품에 안겨 언제까지고
그저 그렇게

사랑비

비가 내리던 날

빗소리가 좋아
문득
너를 바라보았다

나의 사랑이었다
작고 어여쁜

비가 내리던 날
내 곁 너가 있던 날

마음 가득 사랑비가 내렸다

오늘 밤

가로등 사이 빗방울
저만치도 아름다워

밤하늘 수놓은 빗방울
내 마음 스며든 네 생각

가을의 오후

가을날
이만치도 화사한 가을의 오후

따스한 햇살과 선선한 바람
온 거리 드리운 가을 냄새가
행복을 일깨워주는 지금

난 사랑하는 너를 담아본다

가을같이 반가이 내게 와준
너란 아이를

가을날, 너는 내게

고요한 공기
파아란 하늘
가을색 거리

모든 게 아름다운 순간
이보다 아름다운 너를 떠올리며

난 마음 가득 사랑으로 너를 꽃피운다

가을날, 너는 내게 무엇보다
어여쁘다

어느 가을날

가을 단풍 울긋불긋
온 세상 뒤덮은 날

나도 너란 아이로 그처럼
붉은 마음 가득해지는 날

나의 곁 발그레한 너의 미소와
붉은빛 단풍이 온 거리 찬란히
꽃피운 날

어느 가을날

계절의 노래

봄날의 오후
나의 방 창가 한편
따사로이 드리운 햇살 한 줄기

여름의 밤
아름다운 한강의 야경
선선한 바람과 빛나는 달무리

가을의 새벽
다홍빛 가을비 추적추적
가을 냄새 물씬 온 세상 물든 거리

겨울의 아침
내리는 눈발, 포근한 아침의 공기
새하얀 눈밭, 나란히 새긴 발자국

봄날의 오후, 여름의 밤
가을의 새벽, 겨울의 아침
그대 곁 불러본 계절의 노래

구름

구름 하나 너울져 뭉게뭉게
파란 하늘 수놓아 화사하다

내 마음 너울에 얹어 두둥실
좋은 날 선선한 바람에 실어

너에게
나의 사랑에게

구름, 두 번째

가을 하늘 가득
온 세상 뒤덮어 버린 하얀 솜뭉치들

몽실몽실 구름을 만져 보고파
손을 뻗어 보았어

나의 손이 저 구름 너머
너에게 닿을 듯한 착각에 한껏

바람

그대란 바람
이리도 거세게 불어오니
나 그저 흔들릴 수밖에

나는 다만
그대란 바람 맞이하는
한 그루 나무일 뿐이니

햇살

물가에 비추인 햇살처럼
나의 맘 너에게 닿기를

수만 번의 반짝임으로
너의 맘 가득 채울 수 있기를

나의 사랑이 너의 사랑 되어
너의 온 하루 반짝이도록

노을

노을이 아름다운 날이었다
아름다운 노을과 내 품 안의 그대

노을보다도 어여쁜 그대가 있던 날
그대를 보는 나의 두 볼도 붉게 물들었다

노을, 두 번째

저녁 하늘 붉게 타오르는 노을
나의 마음에도 한 줌의 불씨를 던져
마음 가득 불꽃이 타올랐다

너라는 불꽃이 내게

겨울밤의 그대

겨울밤 달 하나
함께해 주던 밤

그대가 왔다
오랜 어둠을 밝혀주었다

달은 서운했는지
애꿎은 별 탓하고

별빛 아래 나는
'그대만치 빛날 것 없다'
생각도 하였다

달도 별도 숨어
단 하나 빛나고

나는 이를
사랑이라 하였다

밤하늘이 밝다

달, 그대

밤하늘 달 하나
그 거리 그대와 나

사랑을 머금은 미소

그대의 이름이 빛난다
그대가 내려와 담긴다

달

오늘의 달이 떴다
내 마음에 그대가 떴다

어제도 오늘도 다른 달이지만
내 마음의 그대는 한결같다

나 그대를 생각함은

나 그대를 생각함은
밤하늘 걸친 새하얀 달빛 때문입니다

달빛의 옷자락 살포시 잡은 구름 때문입니다
달과 구름 사이 거니는 별님 때문입니다

그 밤 달보다 빛나던 그대 미소 때문입니다

꽃달

어여쁜 달 하나
밤하늘 아름다이 비추어

사랑스럽다
'꽃달'이라 이름 지었다

별빛 하나 꽃달을 시샘해
구름 옷자락 사이 숨어버린 밤

꽃달 아래 마주한 두 볼
꽃달처럼 어여쁜 그댈 본다

반달

오늘의 반달
예쁜 마음 하나
못내 수줍어
구름 뒤 숨은 아이

오늘 밤
그 고운 아이를
오늘의 난
그날의 너를 보듯 담았다

반달 빛

반달 빛
어감이 좋아
몇 번이고 불러본다

"여보야"
그대가 좋아
이 밤 가득 불러본다

너가 피었다

달이 피었다
너가 피었다

구름과 별 사이 달처럼
너도 내 곁에 활짝 피었다

방긋
웃음으로 피운 한 떨기
내게 고와

마음자리 담아보았다
곱디고운 너를

오늘따라 부쩍 반짝이는
달처럼

별과 너

별이 비처럼 내리던 밤
별보다 어여쁜 너를 담았다

널 보던 나는 밤하늘 별처럼
두 볼 발그레 너라는 아이에

한동안 오래 설렜다
마음속 온통 너였다

그 밤 가득 그랬다

내가 좋아하는 건

날이 좋다
너가 좋다
오늘 아침 커피의 향기가 좋았고
함께 마주한 너의 미소가 좋았다

달이 좋다
별이 좋다
달과 별, 이 밤 내 곁의 너가 좋다

버스 9-3

버스를 놓쳤다

괜찮다

오늘 밤
선선한 봄바람이 부는 밤
오늘따라 유독 아름다운 달과
내 곁 살포시 기댄 너가 있다

문득 오늘의 달과 너는
내게 참 과분한 선물이라 생각했다

그래, 괜찮다
너가 내 옆에 있다

달빛, 우리

달이 빛나던 밤
창가엔 그림자가 둘

따스한 품의 두 사람
숨소리만이 채운 고요한 밤

품어온 망울 피워내
방안 가득
향내 넘실대던 밤

그 사이
어여삐 내린 한 줄기
달빛

봄처럼, 사랑

그댄,
그날의 봄
내게 왔다

아름다이
봄꽃의 향기 둘러
그리 봄처럼 왔다

사랑이었다,
작고 어여쁜
한동안 오래 품었다
마음 가득

2장

그대가 저문다

봄처럼, 이별

그댄,
그날의 봄
내게 왔다

봄처럼 그댄 아리따웠다
작고 여린
나의 사랑이었다

봄이 지고
그대도

봄처럼
내게서
저물어갔다

아름다이
아스라이
찬란하게

너를

너를 품고 싶다
포근한 봄날
그날의 온도처럼

너를 나의 품에
가득 안고 싶다

벚꽃이 질 무렵

벚꽃이 질 무렵
여전히 내 마음 봄으로 드리운 너

흩날리는 벚꽃이 지고
꽃이 사라져가는 계절에도
나는 여전히 너를 담을 테다

이듬의 봄이 내게 다시 와줄 때까지
그리곤
그날의 봄을 온 맘 열어 환히 반길 테다

초속 5cm

초속 5cm의 속도였다
그대를 바란 나의 마음은
한없이 멍하니 바라보아야 했다

그렇게 생각했다
그대가 떠난 건
그 때문이라고

초속 5cm와도 같았던
나의 느린 마음 때문이었다고

그댄 내게

그댄 내게 그런 사람이려나
봄날의 마지막 흩날리는 벚꽃 같은

그댄 내게 그런 사람이려나
겨울의 마지막 녹아드는 눈꽃 같은

그댄 그런 마음이려나
아름다이 사라져갈 가슴 깊이 남을

오늘의 오후

오늘의 오후
너만큼이나 화사하다

오후의 거리
아름다이 내린 햇살의 따스함은
마치 너의 품 같아
그리도 포근하다

너와 닮았다
오늘의 오후는

꽃이 피었다
포근한 바람이 분다
봄이 왔다
문득 너를 떠올린다

너로 인해

너를 만나 사랑을 배웠어

나로 가득했던 나의 마음에
너라는 아이가 찾아와
꿈처럼 아득히 채워주었어

그런 행복은 처음이라 사뭇 낯설었어
너로 인해 사랑이란 감정을 알았어
너로 인해 진심이란 마음을 알았어

너를 보내고
나는 또 한 번 사랑을 배웠어

그대 자리한 나의 마음은

어떤 미사여구도
그댈 향한 나의 마음
다 전할 수 없다

어떤 아름다움이라 하더라도
그댈 바란 나의 마음
담을 수 없다

어떤 꾸밈도 요구되지 않는
하나 허식도 존재하지 않는
그런 마음

그대란 마음 그 자체로
한없이 투명하고도 맑은
그대로 가득한 그것

그댄 내게 그런 사람이라

그댄 내게 그리움이라

짙은 초록의 애달픔이라
깊은 심연의 고독감이라

저 하늘 홀로 외로이 뜬
달빛과 같은 사무침이라

그댄 내게 그런 사람이라
짙고도 깊게 핀 마음이라

기도

오늘 밤 두 손 모아
사무치는 마음으로 기도함은
나의 맘 따스한 사랑으로 담긴
나의 하루 애끓는 그리움 남긴
당신을 바람입니다

그리울 사람

그리울 사람이 있습니다
세월이 흘러 주름이 지고
머리가 희어 백발이 되어도
못 잊을 사람이 있습니다

그날이 되어도 담을까 합니다
소중한 사람으로 귀한 마음으로
한 줄의 안부와 함께

걸음걸이

그대의 걸음걸이
지금도 또렷이 기억하는
그대의 걸음
총총 내게 뛰어오던 작고 어여쁜

그런 그댈 마음 가득 사랑이라
담았던 날을 기억한다

새로운 사랑을
지금도 넌 그날의 걸음으로 맞이할까

내게 오던 너의 그 어여쁜 모습처럼

달빛 그리움

달빛이 드리운다
나의 곁 고요히 머문다
함께 그리움이 온다

오늘의 달빛이
너에게 닿을까
나와 같이 너의 자리 머물까

내가 그 달빛이라면
달빛 되어 너의 곁 닿을 수 있다면

머물러다오

너는 내게 머물러다오
햇볕에 일렁이는 물결처럼
거리의 골목 피어난 꽃잎처럼
밤하늘 비추이는 달과 별처럼
그렇게 남아다오
너는 내게

단 한순간 나, 널 놓치지 아니할 테니

너가 내 곁에

내 곁에 너가 없다면
나의 삶 한 줌도 남지 않을 텐데

내 곁에 너가 와준다면
내 마음 한 줌 미소 드리울 텐데

한 줌 미소 한 움큼 되어
나의 삶 가득할 텐데

달의 마음

겨울밤
홀로 외로이 뜬 달 조각 하나
달에 비추인 그리움 하나

봄이 오기 전
마음 가득 담고 싶다

봄의 것과는 다른
겨울 달의 마음을

타인의 달

저 달은 내가 아니라
나의 맘을 알지 못해

나의 사무침에도 그저
고요히 비추일 뿐이네

이 밤과 나
어딘가의 그대를

겨울 달

매일의 밤 마주한다
하염없이 드리운 겨울의 달을

겨울밤 어떤 이를 그리우기에
이다지도 가만히 그곳을 향할까
어느 사무친 그리움이기에

겨울밤 스치는 바람에
밤하늘 달 하나 더욱 쓸쓸하다

오늘의 달

달을 좋아했다
밤하늘 어여쁜 달이 뜬 날이면
그 새하얀 동그라미를 한참이나 바라보곤 했다

그런 나를 보며 그녀가 말했다
"달빛이 너무도 아름답다"고

그녀의 한 마디에 신이 나
그와 같은 달 뜨던 밤이면 그녀에게 말했다
"오늘 밤 달이 참 아름답다"고

오늘 밤 달빛 차오른 겨울의 밤
닿지 못할 그녀에게 한 줄의 인사를 건넨다

'오늘 밤도 달이 참 아름답다, 그때처럼'

초승달

새벽녘 검푸른 하늘
멈춰 선 달은
반쪽 베인 초승달

밤하늘 칼바람이라
풍화되고 깎인
심정이라 했다

지난밤 달덩이 온데 없고
잘린 것 남아 초승달 되었으니

이는 여 심정 닮았다 하고

새벽녘 검푸른 반쪽 달을
목 놓아 부를 뿐이렷다

옅은 숨

숨을 참아 본다
머릿속은 어지러이 돌고
발끝부터 장기 어디쯤으로
메스꺼움이 몰려온다

무너져버릴 것만 같다
파열된 채 흩날려버릴 것 같다
옛적 바스러지던 모래알처럼

그사이 내쉬는 숨
입술의 작은 틈 비집고 나와
한 생명 탄생시키고야 마는
옅은 숨

너다

그대도

그댈 생각한다
그대 그러하길

잠 못 드는 새벽 그 어딘가
기억의 자리 하나쯤 나를 찾아줬으면
날 좋은 계절 그 언젠가
걸음의 자리 하나쯤 나를 떠올렸으면

이 밤 구름 하나 머문 자리
나처럼 그대도

밤새

잠이 오지 않는 밤이면
이따금 그댈 떠올린다

그럴 때면
고요만이 가득했던 내 방에
그대란 사람이 어느덧 가득해

난 그저 어찌할 수 없어
밤새

그대를 지새운다
지난날의 언제가처럼

그대란 인사말에
그대란 그리움에

하릴없이 생각에 잠겨
다가올 아침을 맞이한다

여전히 그댄 그 자리에

그대 생각에 잠 못 이룬 밤
뜬 눈으로 보낸 지난밤 한참
내 마음 머물렀던 그대

밤새 그대가 지나가고
남은 하루
여전히 그댄 그 자리에 있어

나의 눈가 자리해
나는 지금도 지난밤처럼 그저
눈가에 맺힌 그댈 바라볼 수밖에

지난밤도 지금도 앞으로의 밤들에도

꿈처럼 그대

꿈을 꾸었다
그대를 보았다

꿈속의 그댄
옛 장면처럼 아름다웠다

그댈 만나
난 또다시 하염없이 바랐다

그대 꿈처럼 사라져갔으니
꿈처럼 다시, 내게

가을 그리움

가을이라 그런 걸까
문득 너가 그리워지는 건

가을 냄새 자욱한 거리
그곳에 너의 향기 여전히
머물기 때문일까

난 오늘도 너란 그리움에
가을밤을 지새우곤 그렇게
너가 없는 하루를 다시 살아간다

가을밤, 너가 내게

가을밤 내게 와준 그 밤처럼
오늘도 내게 다시 와주었으면

가을의 단풍잎처럼
가을의 바람결처럼

그날의 공기처럼
너

내게 가득
덮어졌으면

가을 상념

가을이 왔다

가을이 오고
너도 내게 왔다

난 그런 널 어찌할 바 없어
마음 다해 반기우다

문득

그날의 슬픔에 잠겨
하릴없는 시간을 흘려보내곤

그렇게 널
다시

사랑한다

그해 겨울처럼

겨울이 오는 것만 같아

그해의 겨울처럼 너도 내게 다시
와줄 것만 같아

겨울의 어느 날
눈처럼 너 내게 와주길

그날처럼 새하얀 웃음으로
다시

눈꽃

멀리 피운 눈꽃처럼
찬란히 어여쁜 이여
나의 사랑이여

빛으로 내게 와
아득히도 잠긴
나의 열꽃이여

열꽃

그대, 나의 열꽃이여

나의 열꽃 그댄
어찌 그리 아름다운가

형형색색 꽃내음에 취하고
가끔은 코끝이 찡하기도 하였더니

그대, 나의 열꽃을
온 맘 열어 맞이하련다

하나 아직 한참은 뜨거운 꽃
채 식지 못한 열기
온몸이 타오른다

열꽃은 찬란하고
무성한 열꽃만큼이나
그을음 깊어져만 가고

그을음 안엔 그대가 있다
그대 얼굴은 타지도 닳지도 않아
오랜 기억처럼 하얀 모양새다

나의 열꽃 그댄
오래도록 거기 있어라

그을음 번지어도 좋다
열꽃의 꽃내음 한껏 풍기어라

나의 찬란한 슬픔이여
그댄 무궁히 아름다워라

그대, 나의 열꽃이여

비처럼 그대가

비가 쏟아지는 겨울밤

내리는 비처럼 그대가
사무쳐 담기는 이 밤

빗방울 하나에 그댈
생각할 수밖에

이 밤을 보낼 바 그뿐이니
내리는 비처럼 그대 하릴없이

바라보고
애달프고

사무칠 존재이니

여전히 그댄

비가 내리고
비가 잦아듭니다

비가 그친 밤
여전히 가득한 비 내음새처럼
여전히 그댄 그 자리에 있습니다

아주 짙은 여운이랄까요
아주 깊은 마음이랄까요

빗방울에 그대를

빗소리 하나에 그대 생각 똑
빗방울 하나에 그대 마음 똑

그대란 이름이 빗줄기 되어
내게 들이치는 오늘

나는 다시 그대를
나의 품에 가득

안아 본다

소나기

소나기처럼 그대가
쏟아지던 날들이 있다

찰나라 하기엔
더없이 짙은 것이라

굵은 빗줄기만큼이나
그대가 선명하였다

댓바람의 소나기
낮과 밤 지나 머물던 것처럼

그대도 그러하다
찰나라 하였으나

무궁한 것이라 생각도 하였다
밤새 쏟아지던 날들이 많았다

여우비

올해는 여우비가 잦았다

마치 당신을 생각하는 내 마음 같았다

초롱한 햇살 사이 몽글한 빗방울

슬픔 어린 행복이라 한다

여우비가 내리는 날이면

우산도 접어둔 채

비를 맞았다

오늘은 그대가

하루가 가고
또 다른 하루가 찾아온 아침

오늘은 그대가 와주었을까
잠에서 깬 마음은 주위를 서성인다

그대의 흔적을 찾아서
혹시라도 그대 내게 와주었을까 봐서

오만

찰나의 순간
그대를 생각했다

말투와 손짓
얼굴마저 아스라이
잊히고 있다, 여겼다

되뇌었다
나의 착각이었다, 라고

아니, 오만이었을까
내가 그댈 잊어간다는 건

무너지다

몰랐다
그녀도 나도
우리의 마지막이
그런 순간일 줄은
지난 시간 쌓아 올린
마음이란 조각이 그토록 한순간
무너져버릴 줄은

아니 한순간이 아니었을 거라
아마 그녀의 마음은 그리도 무너져갔을 거라
나만 몰랐던 것일 거라 생각했다

사무치도록 오래, 내가 미워졌다

나밖에 없었다

그곳엔 나밖에 없었다

그대를 외치던 나의 목소리엔
그대를 담았다 한 나의 마음엔
그대와 추억이라 새겼던 시간엔

그대가 없었다
공허한 외침이었다
텅 빈 마음이었다

그곳엔 나밖에 없었다
그래서였다

담고 담아도 외치고 외쳐도
그대가 없던 것은
나 때문이었다

그대여, 내게 오라

그대여, 그대 그렇게
내게 오라

몇 날을 지새우더라도
한없이 오랜 세월 버텨내야 하더라도
나 이곳에 서서 그댈 기다릴 테니

그대 오는 그날까지 난 그저
언제나처럼 그댈 그리울 테니

하니, 그대는 속히 오라
내게 오라

상실

감정의 상실
나의 곁 당신이 없음에
나의 삶 감정이 사라져 버렸다

오랜 시간 빛바랜 종잇조각처럼
낡아져 버렸다

감정의 상실
나 자신의 상실
모두 당신으로부터

새벽의 시간

새벽을 맞이한다
숨소리만이 고요하다

나만의 시간, 생각에 잠긴다
나는 괜찮은지, 잘 살아내고 있는지
와 같은 것들에 대해

새벽이 깊어질 무렵
숨소리마저 희미해질 즘
나의 전부였던 그대를 떠올린다

나만의 시간
나는 나일 수 없음을 깨닫는다

새벽 두 시

새벽 두 시
짙은 어둠 드리운 밤
창밖 빗줄기도 숨죽인 밤

문득 찾아온 이
반가이 웃어보고
소리쳐 불러보아도 답이 없고

그리움 전하고 싶어
걸음을 옮겨도
한없이 멀어져만 가는 이

새벽 두 시
적막한 공기 때문이었을까
차오른 어둠 때문이었을까

그댈 생각함은

나 그댈 생각함은

한 마리 새끼 짐승의 울부짖음 같이
그리 사무치고 애틋한 것이다

새끼의 세상 어미뿐이라
울음으로 찾아 헤매이듯

나의 세상 그대뿐이라
그댈, 목 놓아 부르짖음이다

닿을 수 없어도

오늘 나의 밤을 지나
내일의 밤들에도

너는 거기 있어주길

나의 밤이 너의 밤
닿을 수 없다 해도

바라보는 것만으로
난 행복할 테니

연한 것 뭉근할 테니

자욱

나는 너를 사랑한다
너가 내게 머문 시간만큼
아니 그것보다 더욱

그저 하나의 그리움에 비할 수 없는
짙고도 깊이 스며들어 지울 수 없는
자욱 되어 내게 남을, 나의 사람아

언제까지고

사랑한다, 나의 사랑아
애달프게도 가슴 한편
이토록 아리게도 맺힌 사람아

언제쯤이면 난 그댈 놓을 수 있을까
언제쯤이면 이 자욱 지울 수 있을까

언제까지고 비우고 싶지 않다, 고
생각하는 순간
난 또다시

그댈 그려본다
그댈 담아본다
그댈 새겨간다

그대여 내게

그대 내게 마음 하나 건네주오
그것 하나에 나 또 하루를 버텨낼 테니

그대 없는 내가 소멸되어가는 나날에
그대 작은 마음 하나로 옅은 숨 얻어 갈 테니

또 하루 견뎌낼 테니

단막극

그대와 난 짤막한 연극의 주인공 같다

단막극의 여주와 남주처럼
쉬이 사랑을 속삭이다, 쉬이 이별을 고한다

1막 남짓의 시간, 극의 막이 내려감에
그대는 내게 짧은 만남의 이별을 전한다

나선형

세상은 나선형
그대와 나의 걸음 또한 그러하리라

그대의 걸음과 나의 걸음
다르지만 같은 것이라
어긋난다 해도
언젠가 마주칠 거라 고대한다

나선형, 우리의 걸음이 그러하다만
세상 이치가 그렇듯 언제고 다시 마주할 테니

그대여, 부디 나를 잊지 말아주오
나도 그대, 단 한순간 놓치지 아니할 테니

하루의 소멸

나의 하루 그대로 가득했던 터
그대 없는 나날은 이토록 허무하다

공허한 울음만이 메아리치는 공간
허망한 순간만이 매워져 버린 시간

나의 매일, 오늘과 같은 하루는
그저 이름만으로 하릴없이 소멸해간다

너의 조각

너를 담아본다
하나둘 너의 조각마다
너를 생각하며
환희와 슬픔, 연심(戀心) 모아 담아본다

어느새 가득 찬 마음 상자에
너란 이름을 적어
먼지 드리운 공간 어디쯤 두어본다

세월 지나
이따금 생각날 때
너의 조각 하나 꺼내보기 위함이다

노년의 희어진 머리칼처럼
자리한 자욱한 먼지 사이로
그날도 여전히 선명한 너를 보기 위함이다

이별의 밤

사랑이 피어나던 밤
그대와 나 우리 둘만이 존재하는 듯
우리의 숨소리마저
고요히 스며들던 밤

그날의 따스한 온기를
그날의 어여쁜 마음을
기억한다

오늘의 밤
그날의 온기는 차갑게 식어졌고
그날의 마음은 한 줌도 담지 못한 채로
그렇게 서로를 닫아가며 잠이 들었다

이별의 의미

이별에 무슨 의미가 있을까

오랜 만남과 순간의 헤어짐
남은 상처와 흩어진 마음들

그럼에도,
이별이 의미 있는 건

누군가를 보내며
사랑을 배웠기 때문이 아닐까

아름다워라

달 별 꽃 시
내게 한없이 아름다운 것들

사랑 이별 추억 그대
내게 한없이 아름다울 시간

나의 글

늦은 밤
글을 쓴다

나의 글은 온통 너뿐이다
하니 너를 지우지 못할 수밖에
사랑이란 기억이라 내겐 너뿐이니

당신을 그리는 일이
계절을 지나
여러 해 되었습니다.

저는 아직 거기 있습니다.
당신의 여름날 그 해변 말입니다.

그대, 꽃처럼 내게 피어났으니

1판 1쇄 발행	2020년 3월 14일
2판 3쇄 발행	2021년 11월 17일
2판 6쇄 발행	2023년 5월 30일

지은이	이경선
펴낸이	이장우
편집	송세아 안소라
디자인	theambitious factory
마케팅	시절인연
제작	김소은
관리	김한다 한주연
인쇄	금비PNP
펴낸곳	도서출판 꿈공장플러스
출판등록	제 406-2017-000160호
주소	서울시 성북구 보국문로 16가길 43-20 꿈공장 1층
이메일	ceo@dreambooks.kr
홈페이지	www.dreambooks.kr
인스타그램	@dreambooks.ceo
전화번호	02-6012-2734
팩스	031-624-4527

ISBN	979-11-89129-92-7
정가	12,500원